Stamp drie keer ...
Spring op en neer ...

Buig en ga weer staan.
Applaus. FANTASTISCH gedaan!

Kimioboeken, leesplezier voor peuters én ouders

Voor peuters

- Kimioboeken gaan over onderwerpen die peuters bezighouden.
- Kimioboeken betrekken peuters bij het verhaal, lokken hun reactie uit en zetten hen aan tot praten.
- Kimioboeken stimuleren peuters goed te kijken en na te denken.
- Kimioboeken komen tegemoet aan de bewegingsdrang van peuters. Ze stimuleren kinderen tot meedoen en bewegen.

Voor ouders

- Er zijn veel verschillende manieren om een Kimioboek voor te lezen.
- Je kunt er steeds weer nieuwe dingen in ontdekken.
- Daarom vervelen Kimioboeken nooit, hoe vaak je ze ook voorleest.

Kimioboeken zijn nauwkeurig ingedeeld op leeftijd, omdat in de peuterperiode een half jaar al veel verschil maakt.

Kijk voor tips, achtergrondinformatie en spelletjes bij de boeken op www.kimio.nl

Colofon

Kimio maakt deel uit van Mercis Publishing bv te Amsterdam

ISBN 9789056477196

NUR 270

© idee en tekst 2008: Betty Sluyzer, www.bettysluyzer.nl

© illustraties 2008: Pauline Oud, www.paulineoud.nl

Printed in China

Dansen
Springen
Buigen

Betty Sluyzer en Pauline Oud

Mercis Publishing – Kimio

Eén, twee ...

Dit is Dee en dat is Daa.
Ze doen een dansje.
Tra-la-la.

Dans je mee?

Eén, twee ...
Dans je mee
met Daa en Dee?

Draai een rondje ...

Ze dansen rondjes.
Zie je dat?
En wat doet
de rode kat?

Dans je mee
met Daa en Dee?
Eén, twee.
Heel goed, oké.

Kwispel als een hondje ...

Zwaai met twee handen ...

Zwaaien ze wel alletwee?
Kleine Daa en kleine Dee?
Ja of nee?

Klapper met je tanden ...

Doe je mee
met Dee en Daa?
Dansen, zingen.
Tra-la-la.

stamp drie keer ...

Stampen, stampen.
Eén, twee, drie.
Eentje doet iets anders.
Wie?

Spring op en neer ...

Wat doet Dee?
En wat doet Daa?
Voetjes van de vloer!
Doe ze na.

Dit was het dansje
van Dee en Daa.
Je deed ze
echt gewéldig na!

Buig en ga weer staan.